日本のうた

ベンジャミン・F・コーエン

鹿美社

目次

I

Ⅱ

表紙図版：国立国会図書館「ＮＤＬイメージバンク」

I

われわれは、ほんの二、三秒、詩的な気分にひたる心の安らぎや精神を持ち合わせていない。しかし日本人は、そう、少なくとも過ぎ去った世紀には、そうした心の安らぎや精神を持っていた。日本人の多くは詩心を持っており、夢のような人生の中で、常に鈴の音にしばし耳を澄ます心構えができていたのだ。

ルイ・クペールス『オランダの文豪が見た大正の日本』

日本は芸術家としての私の故郷である。この地球上で、本物の芸術家といえるのは、ただ日本人だけである。私たちヨーロッパ人にとって芸術はどこか作為的で、窮屈な、紳士気取りのものだが、日本人の間では芸術の感性、感覚は彼らの日常的な行動の全てに及び、些細なものにさえ添えられる、風雅なものなのだ。（中略）

日本人の芸術、それは私たちには一風変わった奇怪なものに見えるが、未来へと永続する、はるか偉大な、欠くことのできないものを持っている。

カール・ラーション『わたしの家族』より

荒屋鋪透『カール・ラーション―スウェーデンの暮らしと愛の情景』

潤んだ島国 ― Enriched island

ここはまことに潤んだ島の国
四方を海に囲まれて
多くの山から川は流れて
至る場所から湯気は出る

人は汗を流して頭を下げて
トイレの泉に慰められて
すぐ感激しては涙を流す

おぉ、ここは
まことに潤んだ見事な島国
水分は蒸気となって辺りを包み
朧な世界を生み出した

心を隠す人々 ― People who hide their true feelings

彼らは直接的な表現を厭うのだ
だから、自らの表情を隠そうとする

着物の女は手を上げ
袖の袂で口を覆って動きを見せず
サラリーマンは自分の気持ちと裏腹に
周りに合わせて微笑んだ

そんな彼らは今でもマスクを外さない
知らぬ土地で外の者たちが
そのまま素顔を曝け出しても
未だに顔を覆っているのだ

三年も顔を隠して生きた彼らのうちに
あの古い習慣が甦る
一部の者らはその布が心地良く
口の覆いを除かない

あぁ、それでみんなも釣られて
もはや菌の話題が出なくなっても

今もマスクを着けて歩き行く

かわいい ― "Kawaii"

彼らはみんな知っている
無邪気で不器用な動きの中に
神的な何かが隠れていること

その健気な姿を見たとき
周りの景色と調和した
理想の世界を覗き見るのだ
それらは

疑うことを知らない従順な姿で
見ている者の心を奪う

あぁ、なんと稀有なものだろう
この絶海の孤島に生まれた
実に怪奇な価値観は！

騙すことを優れた知性と見做す
他の地域とは反対に
丸みを帯びた無垢な態度が
彼らにとっては良いことなのだ

そう、きっと来たるべき楽園も
こんな微笑ましい世界に違いない！

奈良のシカ ― The deer of Nara

彼らは人が手を上げるとき
陽の光を顔に浴び
耳はそろって蝶々になった

そう、彼らは
天の方からやって来た
けれど大した力も持たないで
ゆっくり、ゆっくり、歩き行く

上を見ては
今にも飛びそうに耳を動かして
今度は、実に謙虚に頭を下げた

私たちはいつの時代でもお金を愛したし、その価値を認めてきた。前近代の日本では、金銭欲はごく少数の人間の間でしか育たなかった。

ヘレン・ミアーズ『アメリカの鏡・日本』

その名はジパング — Its name is "Zipangri"

神を信じる彼の国の者たちは
果てなく遠い海中に
黄金の国があるという
「その名もジパング」

そこは実に豊かな高貴な孤島
黄金や水晶、宝石がたくさん採れて
王宮は金で造られていると人は言う

神を信じる国の者らは
まるで天国だと思って憧れて
知恵を使って計算し
力を振り絞って舟を漕ぐ

あぁ、そこに行けば私は救われる
何という神の御恵み！

しかし、実際のその島は
木で造った家ばかりが立ち並ぶ
吹いたら飛んでしまいそうな
弱く、小さな家のなか

人々は少量の色の薄い惣菜を
茶碗一杯の米を前にして
二本の棒で侘しく口に運んでいる
さらに隣を見れば
あまりに狭い部屋のなか
布一枚の坊主頭が心静かに茶を点てる

あぁ、なんと高貴な島だろう
小さく、弱く、貧しいように見える島国は
これこそ真に豊かな海の島！

神を信じる彼の国の者たちは

まだ見ぬ金の王宮を志し
頭を使って、命を懸けて
海で舟を漕いでいる

日本の国土 ― The Land of Japan

通りを一本入ったときに
畑は正面に広がって
先の大地は木々の中を波打った

あれほど家と車のあった通りの道を
少し入っただけなのに
あぁ、なんと違う景色があるのだろうか
私は突然、開いた世界を前にして

不思議な思いに捕らわれて
立ち止まって振り返る

なんと奇妙なものだろう
木と山に覆われた東の海の島国は！
どこまでも続く家並みや
立派で綺麗な建造物の裏側に
誰がこんな姿を思うだろう

そこでは表と違う世界が広がり
異邦の人は幻を思うのだ
道の裏には木々が茂って

車の代わりに小鳥が囀る

こんなところで育ったならば
人は夢とうつつを行き来する
線路の脇を絶えず家は張り付いて
知らぬ者は目を見張る
ところが少し足を伸ばしてみれば
先に畑は広がって
昔のままの景色はあった
そしてビルの後ろを見てみれば
富士の山は聳え立つ

あぁ、東の海のこの島は
あまりに木々が生い茂っていた
古の昔から裏には山が隠されて
そこには、違った世界が開かれる

「われわれの間では人を殺すのは怖ろしいことであるが、牛や牝鶏または犬を殺すことは怖ろしいことではない。日本人は動物を殺すのを見ると仰天するが、人殺しは普通のことである。」

ルイス・フロイス『ヨーロッパ文化と日本文化』

満員電車 ― Train during rush hour

東京は今日も電車が混んでいる
日本の人々は出荷前の豚ですら
身体を撫でて
優しく車に乗せるのに
この電車ときたら
狭い箱の中へと
人が無理矢理に押し込まれていく

叫ぶことすらしないまま
最後には係の者が数人掛りで
身体を使って押し込んでいくのだ
それでもホームに人は増え続け
次から次に乗せられる
――しかし、今日は特に混んでいる

'只今、中央線内において発生しました
人身事故の影響により
上下線とも運行を取り止めております
運転再開時刻の情報など
入り次第、お知らせいたします'

アレンジする能力 ― Japanese adaptability

（地図を斜めにすると……）

この島は底の浅い鍋なのだ
地の底は火山で沸り
あらゆるものは投げ入れられて
その中で見事に調えられていく

海の向こう中国から

ラーメンのレシピがやって来ると
どこよりも美味しいラーメンが作られて
インドから
カレーのレシピがやって来ると
どこよりも美味しいカレーが運ばれて
ポルトガルから小麦粉が来れば
天麩羅は生まれ出て
アメリカ人に肉の美味しさを聞いたなら
牛丼が出来上がる

この鍋は何でも美味しくしてしまう
様々な具材が投入されるその度に

街に湯気は立ち昇り
辺りの山や川の上には
薄い靄がかかりゆく

あぁ、なんと見事なものだろう
ここでは何もかもが工夫され
器用にアレンジされていくのだ

彼らは外から何でも取り入れ
世界が驚く、優れたものを生み出した

日本の料理 ― Japanese cuisine

「いただきます」

あぁ、人は世の煩いから解き放たれて
ここで一つの世界に入り込む
作者はすっかり姿を消して
顕わな食材たちだけが
あなたの顔と向き合った

そんな彼らは
それぞれの良いところを引き出され
色鮮やかに整えられて
人々の想像を掻き立てる
「どこで生まれたのでしょう
どうして育ったのかしら
どのようにここへやって来て
どれくらい昔から……」

混ぜられず
一つにされない際立つ個性は
あなたに向かって語りかけ……

あぁ、そこに押しつけはありはせず
作者の巧みな技術によって
彼らが一つに
用立てられることもまるでない

あなたは次に進むことも気にせずに
自分の心と示し合わせて
己の好んだ順に箸を運ぶ
そしてゆっくり口に含んで
彼らのことを、じっくりと噛み締めた

「ごちそうさまでした」

自然と人々 — People and Nature

母がまた狂ってしまった
大きく身体を震わせて
涙を流し、辺りの物を蹴散らした
そこには大切な物があるというのに……
彼女はいつも嘆くのだった
それでもそれは母だった
紛れもない母なのだ
なんでそこに生まれた子どもらが

彼女を怒ることができようか

そんな母を持つ子ども
静かにそれを受け入れる
こんな小さな村のなか
子どもはそれしか知らないのだから

だから自立も何もありはしない
狂った彼女を労わりながら
静かにそれを受け入れて
散らばる道具を整えた

外の人は言うだろう
「なんて可哀想な子どもたち
今すぐ避難させた方が良いだろう」
ところが彼らはそれを苦とは思わない
何しろ彼女は母なのだ
かけがえのない母なのだ
生まれた時から変わらなければ
自分がしっかりしないといけない

彼らは大切な物を保管して
気を使って生きている
住まいもそうだが、母にも傷をつけないように

そんな彼らは母の姿にも慣れっこで
何食わぬ顔でまた暮らし始める
普段はとても優しく綺麗だから

だから彼らはいつもと変わらず過ごすのだった
これ以上、母を心配させないように
もしも悲しいことがある時は
人知れず、部屋の隅で泣くのであった

弓の島 ― Bow island

私は弓の中心だ
ここを支点にゆっくり弦は張られゆく
夕陽は私たちの背を照らし
力はその手に集約された

そして、最も東のこの地から
鋭く弓の矢は放たれた
未知なる大きな海に向かって飛んでいき

遥か、空高くに舞い上がる

日本の文字 — Letters of Japan

私は紙にペンを落としたら
先へ、先へと向かっていった
あまり力は変えないで
前だけを考えて
なめらかに滑りゆく
一つ一つは進むために結ばれて
全てはまるで一体のように繋がれる

しかし、隣に目を移したら……
なんということだろう
その様子はあまりに私と違っているのだ！

彼は無秩序に違う形の文字を並べて
一つ、一つ、離れたまま書き記す
決してそれらは統一されず
それぞれ違う言語のようなのだ

そんなあまりに奇妙な彼の手は
垂直に急降下したかと思うと
突然、円を描いて上昇し

不意に止まってまた進む
それは実に効率悪く
非合理で、文字の形に秩序はなかった

場所ごとに時に強く、時にまた弱く
入れる力を巧みに変えて
何かを意味するであろう
ちぐはぐな暗号を
ものの見事に書き記す

そんな調子で
文字を書く彼の様子を覗き見ながら

しばらく経って
私が紙をしまって席を立ち
少し離れてみていると……

彼は紙を掲げ遠くに近くに
書かれた文字を眺めやり
そして、画家が自分の絵を見るように
書かれた文字に向かうのだった

「われわれの間では酒を飲んで前後不覚に陥ることは大きな恥辱であり、不名誉である。日本ではそれを誇りとして語り、『殿Tonoはいかがなされた。』と尋ねると、『酔払ったのだ。』と答える。」

「われわれの間では誰も自分の欲する以上に酒を飲まず、人からしつこくすすめられることもない。日本では非常にしつこくすすめ合うので、あるものは嘔吐し、また他のものは酔払う。」

ルイス・フロイス『ヨーロッパ文化と日本文化』

飲みニケーション — Socializing while drinking alcohol

彼らは時に狂ったように
己を曝け出そうと試みる

日頃は表情の少ない者たちが
浴びるほど酒を飲み
顔を赤らめ絡み合う
「もうこんなに飲んでしまったよ
どうだね、君は

もっと飲みたまえ
君も色々大変だろう」

そこには男も女もありはしない
感情は縦横無尽に揺らいでいるので
一方で女が怒鳴り声を上げれば
男はみんなの前で泣きじゃくる
恥の文化はどこかに隠れ
むしろ誇らしげに盃を持ち上げる

ここで彼らは
懐に秘めていた己を解いて

心の内を明かすのだ
何もかもを忘れるために酒を呷って
次第に周りは見えなくなっていく

しかしさらに宴が続いて
そして、いよいよ
断ることなく飲み続けるその時に
ついに彼らは己までも見失い
朧な幻の世界に迷い込み
やがて、自然に包まれ眠りに落ちた

仏像 ― Buddha statue

私たちは
いつも土を踏んでいる

すぐにどこかに行けるよう
旗を持って大地に立って
考える時にも
椅子に座って顎を手に乗せ
緊張した面持ちで

難しそうなことを考える

しかし、仏のいくらかは
地面に尻を着けて座している

何を考えているかわからない
穏やかで曖昧な顔のまま
少し下を向いて目を伏せる
その身体は平均して太り気味
酷い場合はごろんと転がり
身体はほとんど土に着く

あぁ、彼らは
土の上で抵抗せずに落ち着き払って
全てのものを受け入れる

孤立したムラの者たち — Modern Japan

孤立して独自の慣習を持ったある村に
ある日突然、外の人はやって来た

彼らは唆してこう言った
「何とあなたたちは
古く奇妙な生を送っているのだ
もっと素晴らしい世界があるというのに」

そう言って一度いなくなったと思ったら
今度は四方から見知らぬ人の群れが現れる

あぁ、何ということだろう
来るのが困難なこの村に
人が次々に押し寄せる
彼らはよほど
優れた技術を持っているに違いない

村人は言葉巧みに言い包められ
強引な力の前に身を屈し
一部の土地を明け渡す

こうして取り決められた約束の下
外の人たちはやって来た

それから村はたちまち乱れた
どうすれば良いか分からずに
人々は右に左に慌てふためく
相手はどんな人たちなのか
自分らはどのように見られているのか
様々な意見が交わされ
しばし思案した揚句に
村人たちは思いつく

そうだ、高い山を作れば良いのだ！
そうすれば外の人の様子も良く見えて
大きく美しい山ならば
きっと周りの人々も自分たちを凄いと
思ってくれるに違いない

すぐさま体制は整えられた
人工の大きな山を作るため
男らは労働へ駆り出され
子供は憧れその目を輝かす
村人は知恵を絞って身体を鍛え

そして、各地から
多くの人が山の麓へやって来た

箸① ― Chopsticks

あなたのことを考えなければ
決して私は得られない

私はあなたを摑むため
大きさを考えて、柔らかさを頭に入れて
自分の力を加減する
あなたが嫌がらないように
そっと優しく手を伸ばし……

そして、私の力が
上手くあなたを捉えたその時に……
あなたは「はし」の上に身を委ね
私の口元へとやって来た

箸② ― Chopsticks

ナイフとフォークは
自分の力で切り拓く
何の調理をされてなくとも
塊に鋭い刃を入れたなら
彼らは自力で切り刻み
思う通りに頬張った

けれども

はしではそうはいかない
料理されていなければ
決してその小さな食べ物を摑めない
はしは料理人と人とを結ぶはし

うまい具合に丹精込めて
気遣われた大きさに
木のはしは渡されて
互いの心は通じ合う

縁側 ― "Engawa"

古のギリシャの者らは
広場を歩きながら問答し
昔のフランス人はサロンの中で
論理立てて議論する

けれど、ここには
外も内もまるでなかった
家の縁に付いた通路に座って

二人の老人は外に向かい
途切れ、途切れ、話をしている

公と私との区別はされず
彼らの話す言葉には
主語も何もありはせず
二人は向き合うことなく
独語のように呟いている
「今日も暑いね
そういえば
先週死んだんだってね」

会話も脈絡もなく曖昧で
すぐに止まってしまっては
沈黙が辺りに広がっていく
その間を持たすため
小さく小鳥が囀った

次第に
二人の姿は光に包まれ朧になって
淡い影は家の中へと隠れていった

山がちな島の蛇の道

― A snake-like road on a mountainous island

その道行きは
私たちのふるさとだった
山に沿うように曲がりくねっては
縦横無尽に進みゆく
自然の秩序に己を合わせて
くねくねと滑りゆく

そのなめらかな動きは
悠然とした大地と結び付き
そこに住む人々に寄り添った

しかし、そこに
不安を誘う直線は現れた
住民の目的に合わせて作られた
蛇の道は投げ捨てられて
大地と結び付いた
くねった知恵は損なわれ
人々の習慣は分断される

あぁ、いにしえの時代から
彼らは大地に根差した
蛇と共に生きてきたのだ……

温泉①　―　Hot springs

あなたは彼らに接して
真面目で大人しく、時に冷たく
面白みがないと感じるだろう
どんな時にも我慢強く働いて
心の内を明かさない

このように表から見たならば
決してあながたにはわかるまい

奥深く掘ったとき
どんな世界があるのかを
そこではあちらこちらに火は沸り
温かい泉が広がっている
深く掘っていく際に
それは溢れ出してくるだろう

こんな穏やかなところに
なんと熱い潤いがあるのだろうか
クールな面の下から温もりが溢れ出し
綺麗に整えられるとき
そこに美しい庭と泉が現れる

そこで人々は年も性別も関係なしに
日常に纏い付く全てのものを脱ぎ捨てる
そして、疲れた身体をゆっくり癒やし
麗しい景色をうっとりと眺めやるのだ

なんと奇妙なものだろう
普段はシャイで内気な者たちが
ここではまるで違ったように開け広げ
ゆったりと時を過ごした

あぁ、決して表から見たならわかるまい
奥深くにどんな世界があるのかを

温泉② ― Hot springs

ここでは水と火が結ばれて
天に向かって湯気が舞う
まるであの方が降り立った時みたいに
白い蒸気が辺りの景色を包み込む

あぁ、なんと神々しい世界だろう
人が立ち尽くす傍らで
ケガレを持った人々は列を成し

石道に甲高い音を鳴らして
ゆっくりと、朧な中へと入っていった

私は感動のあまり思わず馬の手綱を引いた。脱帽して、「すばらしい富士ヤマ」と叫んだ。山頂に悠久の白雪をいただき、緑なす日本の国原に、勢威四隣を払ってそびえたつ、この東海の王者に久遠の栄光あれ！

『ヒュースケン日本日記』

崇高な富士山 ― Mt. Fuji is sublime

おぉ、後ろに控える支配者よ
煌びやかなビル群の背後より
あまりに高く聳え立つ

いくら人の力で巨大な街を作ろうと
さらにあなたの威光は増すばかり
決して他の者を寄せ付けず
いつも冷たい顔で誇り高く立っている

だから人は
独りのあなたに寄せ付けられて
胸を打たれて圧倒される

私たちは知っているのだ
いくら高い塔を造ったところで
あなたがついに怒れる時には
人はとても敵わない

おぉ、後ろに控える支配者よ
ビルに登った小さな人はあなたを仰いで
この大都会で立ち尽くす

美しい富士山 ― Mt. Fuji is beautiful

何もない無秩序な世界なら
綺麗な秩序を創り出そうとするだろう
混沌に直面した人間は
平静を得るために美しい規則を作るのだ

しかし、すでに整った形があるならば
彼らはそこに平安を見出した
この美があるから

どんなに混沌とした場所であっても
彼らの気持ちは静かになった

おぉ、実に美しいその形！
その麓には
あまりに混沌な世界が広がっている

日本の怪談 ― Ghost story

恨めしや～　恨めしや～

東の島の無垢な娘は
この上もなく
悔しい事になったとき
独り静かに歯軋りし
心に、秘めた想いを募らせる

隣の「恨」の国の人々が
時にその手を振りかざし
力に任せるのとは異なって

彼らは地下に戻ったその後に
足のない幽霊の姿となって
密かに反撃を開始する

恨めしや～　恨めしや～

すると、幸せな顔した裏切り者は
寒気に襲われ恐れをなして

そんな噂話に人々は
小さな身体を震わせる
恨めしや〜　恨めしや〜

独自の道 — Unique way

感受性の強い彼らは
いつも感情に重きを置いて生きてきた

面白そうと思えば、やりたくなって
美味しそうと思えば、食べたくなって
彼らはその場の雰囲気に溶け込んで
思いのままにはしゃぐのだった
そんなとき、彼の理性は利かないで

全てを忘れて高鳴る心に従った

けれども、外の環境に影響される人々は
そのうちに疲れ果て
独りでいるのを秘かにのぞむ
次第にその顔は青ざめて
いつの日か、虚ろな目をして彷徨った

あぁ、感受性に長けた者たちは
時に周りに流される
しかし、しばらく経って草臥れて
独りでいるのを好むのだ

彼らは、他とは隔てられて育まれ
生きてきた者たちだった
だから独りの方が
あなたがたの個性は生かされる

神社 ― Shrine

この島では大切なものは奥にある
奥義、奥様、奥伝、奥津城
奥社、奥秘、奥方、奥絵師

他では天に近付こうとして
高い塔を建てるのに
ここでは鬱蒼と繋った森のなか
遥か入ったところを進みゆく

天に聳えるのではなく
深い穴倉のような場所にこそ
聖なる世界は存在するのだ

そこでは母なる恵みが育まれ
微かな水は割け目から流れ落ち
木漏れ陽の只中を
鳥は声を響かせ飛んでいく

あぁ、この島では
大切なものは奥にある
人々は淋しい時にはここに赴き

生の温もりに抱かれる

ひらがな ― “Hiragana”

おぉ、なんと奇妙なものだろう
あまりに非調和で不均衡
実に無秩序なこの形！
エル・グレコも目を丸くして
肘をついて黙り込む

ここでは全てが自由に道を行く
まるであの人の身体をなぞるよう

その手はあくまでも緩やかに
曲がり方を変えていくのだ
整備された角はなく
全ては優美に流れゆく

彼らが持った
他の文字に比べても滑らかで
あまりに彼らの感情に従っている
簡単そうには見えながら
その変則な道行きは
最も真似をするのが難しい

おぉ、なんと素晴らしいものだろう
まるで‚かわいい‘美の姿！
西の古い美学者がこれを見て
それでも病的と言うのだろうか

和室 ― Japanese-style room

そこの部屋には
ほとんど何も存在しない
瓶に入った一本の花
掛けられた一つの掛け軸
それ以外、何もない
けれど充分に満たされている

空がこれらを引き立てて
人の意志なき
自然が迫り来て
心の内は満たされる

ここでは物が気遣われ
人のために殺されず
静かに、客をもてなした

西と東と ― West and East

彼らはいつも
西を向いて生きてきた
夕陽を見つめながら
子どもの頃の良い思い出を頭に浮かべ
彼方にある極楽浄土に想いを馳せる
大陸の遥か先、砂漠の道を抜けるとき
そこには私たちの知らない
栄えた土地があるという

豊かな精神は育まれ
救いの道は示される

けれども、今となって
彼らは東を向いて生きている
そこには強い光があるものの
ただ混沌とした虚無が広がるばかり
そんな景色を前にして
彼らは東の陽を身体に浴びて
毎日、新たに気合いを入れて生きている
過去を振り返る事なく
意識を高く生きている

その先には天に聳える豊かな街と
広い、荒野があるという

引き算の文化 ― Culture of Subtraction

私の司祭は
煌びやかな絵の下でこう言った
「豊かなイメージを描きなさい
あの方のことを考え
自分のうちに一致させなさい」

ところがここの師は
何もない畳の上でこう言うのであった

「何も考えてはなりません
考えないことも考えてはなりません
一切は空、一切は無」

こうして静かに座る者の胸に
どこからともなく言葉は流れる
それは自分からではなく
彼方からやって来る

人はそれを白い紙に書き記し
さらに言葉を削っていった
できたのは

私たちが思うより
ずっと短い文字だった

ウンコ座り — Asian squat

彼らは見通しているのだ
下から、誰よりも彼方に向かって
しゃがんで座り込む者たちは
酒を飲み、煙草を咥えて
蟻の小さな世界を見ると思うと
時に鋭く辺りを覗き込む

彼らは静かに多く観るのだ
その零落した
小さく低い人間は
実に強い陽の光を感じ取る

そんな彼らの目にぶつかった
高く大きな者たちは
そこから即座に視線を逸らした

誰もいない手紙 — A letter to no one

私たちは全て
自らを中心に拡がっていく
自分の名前、番地、町
地域、国と連なって
その先はどこか彼方へ飛んでいく

ところが彼らと来てみたら
はじめに国が書かれて

地域、町、番地と下り
時には名前すらも書かれない！
しかし、無事に手紙は届くのだ

「帰ります」

彼らは手紙を読んで
何の問題もなく理解する
けれどまだ、目の慣れない者たちは
人の姿をしきりに探す

あぁ！　人はどこにいったのか

彼らは気配を消して無となって
朧なまま景色の中に溶け込んでいる

トイレ ― Restroom

そこは彼らの慰安する場所
陶器のように美しく光り輝き
マイナスイオンを充満させる

ここに哀しみを抱えた者らが
一人、一人やって来る

会社で怒鳴られた者は

腿に手を当て項垂れて
友達に意地悪された少年は
悔しがって拳を握り
男の子に酷い言葉を吐かれた乙女は
髪を垂らして涙を流し
一人ぼっちの人々は
独りでごはんを食べている

あぁ、何ということだろう
他の国では考えられないこの世界！

いつも心の内を隠して生きる彼らは

ここではじめて、本当の自分に戻るのだ
私たちが家を快くするように
あらゆる設備を整えて
騒音にも策を講じて
香りにもこだわって
そして、多くの名前を考えた

便所、厠、雪隠、東司、御手洗い
閑所、憚、後架、御不浄、化粧室

そう、ここは彼らにとって
大切な慰安場所

私、僕、俺、うち、おいら

様々な役割を演じる彼らは
この場所で自分自身を取り戻す
だから、トイレは
いつも綺麗に保たれている

恋の民 ― People of Love

天皇、蒲生野に遊猟したまふ時に、額田王が作る歌
あかねさす　紫野行き　標野行き　野守は見ずや　君が袖振る

皇太子の答へたまう御歌
紫草の　にほへる妹を　憎くあらば　人妻故に　我れ恋ひめやも

『萬葉集』

彼らはまことの恋の民

その曖昧な仕草や言葉は
より一層、憧れを高めていった

そして、捕えられぬ相手を恋い慕り
振り向かせるそのために
さらに曖昧な言葉は創られる

こうして彼らは恋うていき
決して言葉で表し切れない
人の心を具に学び
身分高き皇子らも
思い悩んで歌を贈って涙を流す

〝紫草のように美しい
あなたが憎いくらいなら
人妻と知りながら
どうして私は
こんなに恋い焦がれたり致しましょう〟

乙女心 — Transfiguration

あぁ、彼女は
まるで変わってしまった
私が知っていた頃とは
随分と変わってしまった

新しい人ができたのだろう
染み付いていたはずの習慣は
ある瞬間から急速に変化して

髪型や服装も変わってしまえば
食べ物の嗜好や話し方まで
次第に感化されていく

あぁ、
何が起きているのだろう
他人は不思議に思うけど

彼女は新たに恋するその度に
奇妙なほどに変わっていった

日本は「二重苦《ダブル・ワミー》」——これも英語の慣用句で、二つの大きな衝撃の意——に見舞われた。いずれの衝撃もアメリカの武力行使、つまり一八五三年から五四年にかけてのマシュー・ペリーと、一九四五年から五二年にかけての出来事によって生じたものである。（後略）

次いで日本の諸都市への凄惨な爆撃が行われ、それがヒロシマ・ナガサキ——人々を恐怖に陥れるための無差別爆撃——で締め括られると、ダグラス・マッカーサーによるいいかげんな占領と、アメリカ式の生活様式の日本への押しつけが続いた（マッカーサーの補佐官の一人は、占領統治を「道化じみている《バフーニック》」、つまり愚か者《バフーン》の仕事だと評した）。これらすべてから日本は二度と立ち直ることはなかった。

モリス・バーマン『神経症的な美しさ——アウトサイダーがみた日本』

永住権の確立は、通商条約を半ば成立させたことになり、アメリカ市民は誰でもその権利を行使できるので、アメリカ人宣教師が日本に到着するのもそう遠い将来ではない。日本人はそれを予期していないだろうが、しかしその時になれば宣教師も商人や船長と同様、やはり一人の市民であると説明されるだろう。いままで日本から締め出されていた婦人も、この権利を行使できるだろう。しかし日本側の全権は条約（この条約は彼らに無数の災厄をもたらすであろうが）に署名してしまったので、この条約を批准せずにおかないかぎり、それに反対することができないだろう。

大成功！

〈一八五七年六月十七日〉
『ヒュースケン日本日記』

つまり、日本占領はアメリカの戦争目的の一つだったのだ。では、いったい、日本を占領する私たちの目的は何なのか。その答えは簡単すぎるほど簡単だ。この疑問に悩んで眠れなくなったアメリカ人はいまい。答えはたったひと言「奴らを倒せ、そして倒れたままにしておけ」である。これ以上のことをいうにしても、せいぜい、日本人が二度と戦争を起こさないよう「民主化」しよう、ぐらいのものなのだ。

（前略）占領政策は日本国民と文明の抑圧であることがよくわかる。この計画は戦争の合法的行為、すなわち賠償行為の常識をはるかに超えた、圧倒的スケールの「懲罰」と「拘束」である。これが計画どおりに実行されれば、私たちの意図とは関係なく、日本の伝統文明は破壊され、国民はアメリカの下僕となり、人口は減少するだろう。

ヘレン・ミアーズ『アメリカの鏡・日本』

街に出た年増の女 ― Modern Japan

【女は強引にその心をこじ開けられた
それから彼女は変わっていった】

強引な後に優しくされれば
女は秘かに顔を赤らめ
その人の好みになろうと粧し込む
慣れた生活を捨て去って
新たに髪を作っては

綺麗な服も買い替えて
褒められる日を心に思い
会うたび相手の胸を窺って
これまでの長年の経験も無碍にして
一心不乱にその心を燃やすのだ

あぁ、しかし
この世は何と酷なのだろう
そんな純な彼女に対して
男は最初の言行と裏腹に
思ったよりも素っ気ない態度を見せるのだ

日増しに彼女は不安になって
さらに相手のことを思うけど
自分のアイデンティティーは混乱し
自暴自棄になってもみれば
その度に男へ憎悪が増していく
「あぁ、憎くて、憎くて、たまらない！
あいつさえいなければ
私はこんなことになっていないのに！」

女は罵倒して強く相手を詰り出す
「あんたなんて鬼畜だわ！」
口と手足で力いっぱい抵抗するも

憎き相手は一枚上手
男は隙を見て彼女を抑え
力づくで押し倒し
身動きを取れなくしたその後に
実に嬉しい言葉を呟いた

あぁ！　彼女はもはや離れられない！
いつも男のことを追いかけて
彼の感化を受けるのだ
そして、彼の背中を追いかける

お金を貢ぎ、服を買い

いつも笑顔で会いに行く
しかし彼女は
そのために青くなるまで働いて
もう心も身体もボロボロなのだ

あぁ、私は女のその身を案じてしまう
彼女はこれまでとても素直に育った良い娘

このままでは
彼女は生きる屍と相成るか
ビルの上から飛び降りてしまうのか
相手に刃を向けるか

それとも何かのきっかけで
彼から離れることができるだろうか

お礼 — Thanks

人は塵と灰で造られた
アブラハムはこう言ったけど
この島国の人間も
自分が最も低いことを知っている
物さえも
人より高い地位にあると言うのだ
お握り、お茶、お菓子、お車、お天道様！

人間は彼らによって生かされる
吹かれる風に身を任せ
木にあたって川を流れてここにいるのだ
お酒、お手洗い、お風呂、お布団、お月様！
今日も皆さんありがとう！

Ⅱ

彼（＝ウオキン・ミラー）は老いた母親に私を紹介して、『これは野口君といふ日本からの珍客だ、すべての日本人が詩人であるやうに、野口君も恐らく詩人であらう』といつた。

野口米次郎「米国文学論」

日本人は——今どきの人であれ、実業家であれ、産業人であれ、商人であれ、政治家であれ——詩心を持っている。少なくとも、その魂にはきわめて詩的な側面がある。

ルイ・クペールス『オランダの文豪が見た大正の日本』

あまりに詩的な日本の言葉

ベンジャミン・F・コーエン

1

日本語は世界でも稀にみる詩的な言語だと思います。

それは明治時代以前の日本の文化が著しく近代以前の様式を残していたように、言葉もまた語の省略や表記、格変化や性・数の欠如を含め、極めて曖昧で主観的、情緒的であったということです。

おそらく、古の人間は事物を命名する際、自らの想像力を駆使して、似ていると思った事物に対して似通った音や文字を当てていたはずです。ですから、言葉の音や形が類似していれば、意味も似通っています。こうして言葉の世界は創り上げられました。それは厳密ではなく、極めて曖昧な方法です。

日本語はその曖昧性を著しく残しているのです。同音異義語が多く、漢字、ひらがな、カタカナがあり、音と訓を有していること自体がその事実を表しています。外から見ているとそれはとても理解し難いように思えます。伝達や論争の道具となる以前の言葉は、秩序はあっても明晰性は希薄だったのです。

言葉はその抽象性ゆえに、人間が規定した意味よりも果てしなく広い意味を有しています。これが言葉の第一の特徴です。本来、人間が何かを伝えることに言葉の優越があるわけではありません。むしろ、そのような使用法は意味の拡がりを限定し、この特性を台無しにしてしまいます。

しかし、日本の言葉はこの曖昧性を担保してきました。言葉は意味を固定されることなく、想像力によって様々な拡がりを見せていきます。日本人は言葉の独自性を大事にし、それを縛ることをしませんでした。一つ一つの言葉は、自らの様々な顔を自由に提示し、人々に世界を暗示していきました。

それぞれの単語は無数の事柄と繋がり、たとえ短い言葉でも、限りなく大きな世界を見せていきます。小さな言葉によって、大きな世界を覗かせる。これが言葉の最大の強みです。

この点において、日本人ほど一つ一つの言葉を大切にしてきた人々はいません。ここでは、言葉は確固たる地位を与えられ独立しています。

2

一方で、多くの西洋人たちは、日本人とは異なった言語の扱い方をしてきました。彼らは曖昧であることを決して良しとはしません。

また無秩序と混沌とを極めて嫌う傾向にあります。西洋人たちはその傾向として、世界を明晰に説明しないと気が済まないのです。言葉はそこで論理的な説明の道具として使用されていきます。日本の人々が短い言葉で広い世界を暗示したのとは反対に、多くの西洋人たちは長い言葉を連ねて説明しようと試みます。

現代の日常生活からもわかるように、日本人の言行が曖昧な暗示を前提としているのに対し、その他の国の人々ははっきり言うことを求めます。それは西洋に限らず、ユダヤ民族や中国人にも言えることでしょう。彼らは日本人の曖昧さに苛立ちすら覚えるのです。しかし、これこそが日本人と日本語の特徴なのです。

ところが明治維新後の日本では、このような言語の傾向もいくらか変更されつつあるようです。小説の神様としばしば称された志賀直哉は、日本語の曖昧さを不完全であると嘆いてフランス語を公用語にした方が良いと主張しました。このような意見が出てくるのも、近代化という名の西洋化の影響なのです。

芸術としての近代小説は、紛れもなく西洋で発生しました。

日本の有名な小説家である二葉亭四迷や森鷗外、夏目漱石は、日本の文芸を近代化させようとして、様々な苦悩を背負いながら困難な道を歩んでいきました。

近代小説は、言葉の扱いに関しては明らかに西洋的な方法に負っています。すなわち、自分自身の思想や感情を、言葉を使って説明しようと試みます。ここでは明確に、思想や感情が言葉に先立つのです。観念が言葉を一面的な意味に規定し、文章によって単語を鎖で繋いで、自らの内面を表現する道具として用立てていきます。

マルティン・ハイデッガーの指摘通り、自我と欲望の拡大に重きを置いた近代の社会システムと科学技術が人間や事物を道具として使用したように、小説は表現のために言葉、モデル、記憶を用立てていきました。言葉はその目的のために一面化されていきます。場合によっては、人々を教化する兵隊にされました。西洋社会のもたらした散文小説のグローバリゼーションは、各国語の特徴を著しく平板化していくことになったのです。

これが近代小説を筆頭とする近代的な言語使用の実体です。

3

もちろん、近代においてこのような方法が有効であったことは言うまでもありません。

より人々にわかりやすい言葉の使用が市民社会の勃興に付随して現れるのは当然のことです。西洋においても、わかりにくい詩歌に取って代わり十九世紀以降に小説が望まれていったのです。

けれども、わかりやすさや明晰性の強調は、私の考えでは言語第一の特徴ではありません。どのような地域でも、言葉はあまりに曖昧でわかりにくいものです。何故、西洋中世の教会が図像によって庶民を教化しようとしたのか、あるいは現在、世界で本を読むことよりもテレビドラマや映画を観ることの方が主流になりつつあるのか、それはまさに後者の方がわかりやすいからです。明晰さでは言葉は映像などに対して分が悪いのです。

小説は近代における啓蒙と市民社会の中にあり、その地位を確固たるものとしてきました。しかしながら、詩と哲学に養われ、大衆社会に対応してきた近代小説がさらに世俗化して娯楽のための道具となった時、言葉はその独自性を限りなく損なわれてしまいます。

活字を読むこと自体、あまりに大きな労力が必要です。近代化の流れの中で西洋由来の近代小説に力点を置き過ぎてきたことは、言語芸術全体の衰退を招きました。本来、何かをわかりやすく明確に伝える以上の働きを持つ言葉そのものが危機に陥ったとも言えるのです。

そんな中、一部の識者は近代に対しての疑義が提出されるにあたり、近代的な言葉の使用に対しても敏感に反応していきました。

4

フランスの哲学者であるロラン・バルトは、明確に小説が文学の終わりを招いたことを感じ取ります。一九七〇年に発表された『表徴の帝国』で日本文化を論じたバルトは、西洋世界が「意味の世界」であるのに対し、日本は「表徴の帝国」であると主張しました。西洋の人間が世界を意味で満たして説明しようとする一方で、この島国の人々はむしろそれを拒絶しようとするのです。

日本人は言葉が不完全で抽象的であることを知っていました。それ故に、表現できない欠如を暗示できると気付いていたのです。

小説が文学に危機を招いたと考えたバルトは、その救済の唯一の道として詩の可能性を念頭に置きました。その中で俳句もまたその一助となると思ったのです。

さらに二〇一一年にノーベル賞の栄誉に与ったスウェーデンの詩人トーマス・トランストロンメルもまた、日本の俳句の可能性を強く考えました。彼はその方法を模して詩作を展開し、言葉の背後に神秘的な世界を描き出していきます。それ以外にも古くはエズラ・パウンドや、オクタビオ・パスなどに至るまで俳句に感化された詩人は数知れません。

西洋化とも言える近代社会の問題点が噴出する中で、極東の島国が注目されるのは当然と言っても良いでしょう。言葉はそれだけで、その他の語や事物と関係を持った独立したものなのです。意味の伝達の道具ではなく、話者や作者を超えた世界の拡がりを有しています。

言葉の背後にあるのは明晰な世界ではありません。特に日本語の世界は、朧で神秘的なのです。日本人ほど、一言一句を大切にし、言葉を人間に従属させず、固有な意味や音、形などの個性を大事にした人々はいなかったのです。それぞれの語の繋がりが生み出す言語宇宙は、人間の内面や自然と同様に確固とした秩序を持っています。言葉は根源的な他者なのです。

日本人はそれを活かすため極めて短い和歌を作り、また俳句を嗜んだのです。

※

むしろこのような事実に日本人があまり気付かなかったのは不思議なことです。それを西洋人が指摘しているのは一つの皮肉かもしれません。

日本ほど文化的に近代化に相容れず、それにも拘らず近代化を積極的に進めた国は無かったでしょう。明治時代以降、彼らはずっと外に目を向けてきました。

確かに何でも積極的に受け入れることは日本の良いところでもあります。一方で自分の良いところを見逃してしまうことがあるかもしれません。

私はもし文学に新たな可能性があるとすれば、それは日本的なものにあると確信しています。俳句や短歌が新たに流行するということもあるでしょうが、同時にそこに見られる彼らの言葉の捉え方が新たな風を吹き込むということです。ここでは人間がいくらか退き、言葉や事物が浮び上がって来るのです。

これから先の時代は、このような日本的な特徴がさらに注目されていくことでしょう。

引用文献一覧

ルイ・クペールス『オランダの文豪が見た大正の日本』國森由美子訳、作品社、二〇一九年。

荒屋鋪透『カール・ラーション―スウェーデンの暮らしと愛の情景』東京美術、二〇一六年。

ヘレン・ミアーズ『アメリカの鏡・日本』伊藤延司訳、角川書店、二〇〇五年。

ルイス・フロイス『ヨーロッパ文化と日本文化』岡田章雄訳注、岩波書店、一九九一年。

『ヒュースケン日本日記』青木枝朗訳、岩波書店、一九八九年。

『萬葉集』一、青木生子ほか校注、新潮社、二〇一五年。

モリス・バーマン『神経症的な美しさ――アウトサイダーがみた日本』込山宏太訳、慶應義塾大学出版会、二〇二二年。

『野口米次郎選集』第三巻、クレス出版、一九九八年。

ベンジャミン・F・コーエン

一九八九年、アメリカ合衆国ニューヨーク生まれ。ユダヤ系アメリカ人。親の仕事の都合で少年時代を東京で過ごす。アメリカの大学、大学院で哲学、文学を修めた後に再来日。以後、東京郊外に在住。貿易関係の仕事に従事しながら、合間を縫って芸術や哲学、政治などについて思索している。

日本のうた

二〇二四年十月二十三日　初版第一刷発行

著　者　ベンジャミン・F・コーエン
発行人　佐藤　濯
発行所　有限会社　鹿美社
〒二七六—〇〇〇三　千葉県八千代市大学町二—一一—六
FAX　〇四七—四八八—五五七三
URL　http://rokubishabook.com
装　丁　川添英昭
印刷・製本　中央精版印刷株式会社

ISBN　978-4-991358-0-0　C0095